Atitlán
Chichicastenango

THOR JANSON

Editorial Artemis-Edinter, Guatemala

Lake Atitlán was created by cataclysmic tectonic events which occured during the early stages of the last ice age, some 85,000 years ago. Pressure building up in the magma layer as a result of the collision of the Pacific and Caribbean crustal plates finally gave way to a violent volcanic explosion unparalleled in modern times. Two hundred square kilometers of lava, rock and ash were ejected, devestating the land and leaving behind a crater more than one kilometer in depth. Tens of thousands of years later the volcanoes we are familiar with today were formed during subsequent eruptions.

Fifteen thousand years ago the highlands of Central America were still covered with ice and snow and Lake Atitlán had not yet appeared. Temperate evergreen forests predominated and strange beasts such as mastodon and giant sloths roamed the primeval landscape. Somewhere around this time the first human colonists arrived. These semi-nomadic hunter-gatherers found the plentiful maga-fauna to be a good source of food. They also found an abundance of edible wild fruits and plants and over time were able to domesticate enough species to allow for the establishment of permanent settlements along the shores of the new lake which formed as the glaciers melted. Ancient proto-languages (the African Bushman word for dog is **tza** while the Maya equivilent is **tze**) and *"old world"* cultural traditions evolved into distinct regional and tribal entities which eventually became the highland Maya. But the greatest *"gift from the gods"* which revolutionized human life was the arrival of maize. So important is maize to the people of Meso-america that their mythic traditions all confirm that in the beginning the gods formed men out of these sacred kernels of gold, red, black, and white. When the Spanish arrived 500 years ago they were astonished to find in the highlands of Guatemala an advanced stratified society as sophisticated and complex as the one they had left behind in Europe. Gold was what they were looking for but after not finding much of the precious metal they decided to organize the Indians into settlements in order to extract a yearly tribute in the form of agricultural products. Thus we see today around Lake Atitlán villages named after such Catholic Saints as San Lucas, Santiago, and San Pedro.

Panajachel is the main touristic destination at the lake and accommodations from ultra-budget to five star are available. "Pana" is the business hub for a thriving export industry which ships fine Mayan handycrafts and textiles around the world. The view of the lake from here is spectacular. The emerald-opalescent color of the crystal-clear lake water is constantly changing from deep ultramarine to turquoise. At dawn the lake is usually calm but by late morning the Pacific breeze blows in creating the **Xocomil**, *"the wind that carries away sin,"* and the waters are churned up into a sea of whitecaps.

Chichicastenango is a short drive from Pana and twice weekly, Thursday and Sunday, is the scene for one of largest traditional Mayan markets. The visitor is immersed in a kaleidoscopic sea of sounds, scents and colors where the ancient past lives side by side with the 21st Century.

El lago de Atitlán se formó por eventos cataclísmicos tectónicos que ocurrieron en las primeras etapas de la última edad de hielo, unos 85,000 años atrás. La presión que se creá en la capa del magma como resultado de la colisión de las placas del Caribe y del Pacífico, finalmente dieron paso a una violenta explosión volcánica sin paralelo en tiempos modernos. Doscientos kilómetros cuadrados de lava, roca y ceniza fueron lanzados devastando la tierra y dejando atrás un cráter de más de un kilómetro de profundidad. Miles de años después los volcanes que nos son familiares se formaron de subsecuentes erupciones.

Quince mil años atrás, las tierra altas de Centro América estaban cubiertas de hielo y nieve, el lago de Atitlán aun no hacía su aparición. Bosques templados siempre verdes, predominaban y extrañas bestias como el mastodonte y el perezoso gigante vagaban por este paisaje primaveral. Por este tiempo arribó el primer colonizador humano. Estos asentamientos de cazadores semi nómadas encontraron la abundancia de fauna gigante como una buena fuente de alimento. Ellos también encontraron infinidad de plantas y frutas silvestres, y al paso del tiempo les fue posible cultivar suficientes especies que les permitieron el establecimiento de asentamientos permanentes a lo largo de las orillas del nuevo lago que se había formado por el deshielo de los glaciares. Antiguos pre lenguajes (la palabra para perro en el lenguaje del bosquimano africano es **tza** mientras que el equivalente Maya es **tze**) y tradiciones culturales del «*viejo mundo*» evolucionaron en distintivas regionales y entidades tribales que eventualmente se convirtieron en los Mayas del altiplano. Pero el más grande de los «*regalos de los dioses*» que revolución la vida humana fue la llegada del maíz. Es tan importante para las personas de Meso América el maíz que todas sus tradiciones místicas confirman que en el principio los dioses formaron a los hombres de las sagradas pepitas doradas, rojas, negras y blancas.

Cuando los Españoles llegaron hace quinientos años, se asombraron de encontrar en el altiplano de Guatemala una sociedad estratificada avanzada tan sofisticada y compleja como la que habían dejado en Europa. Oro era lo que ellos buscaban, pero al no hallar mucho del precioso metal, decidieron organizar a los indios en asentamientos para poder sacarles un tributo anual en forma de productos agrícolas. Por tanto hoy encontramos alrededor del lago Atitlán pueblos con nombres en honor a los santos católicos como San Lucas, Santiago y San Pedro.

Panajachel es el principal destino turístico del lago, y hay disponible alojamiento de bajo presupuesto hasta de cinco estrellas. »Pana» es el centro de negocios de una próspera industria exportadora que envía finas artesanías y textiles Mayas a todo el mundo. Aquí la vista del lago es espectacular. El color esmeralda opalescente de las cristalinas aguas del lago están en constante cambio, de un profundo ultramarino a un turquesa. Al amanecer el lago esta usualmente en calma, pero entrada la mañana la brisa del Pacífico sopla creando el **Xocomil**, «*el viento que se lleva el pecado*», y las agitadas aguas se vuelven un mar de coronas blancas.

Chichicastenango está a una corta distancia de Pana, y dos veces por semana, el jueves y el domingo, es escenario de uno de los más grandes mercados tradicionales Mayas. El visitante se sumerge en un caleidoscopico mar de sonidos, aromas y colores donde lo antiguo convive con el siglo veintiuno.

Panajachél

Panajachel provides some of the most spectacular vistas of the lake accentuated by the enormous volcanic cones of Tolimán, Atitlán, and San Pedro Volcanoes.
[OPPOSITE]

Tata Nim Samachi enjoys relaxing at Panajachel's beach.
[LEFT]

Tzanjuyú Street.
[UPPER RIGHT]

Hotel del Lago.
Five Star accommodations and superb cuisine are found at one of the lake's premier hotels.
[MIDDLE AND LOWER RIGHT]

Panajachel provee una de las más espectaculares vistas del lago, acentuada por los enormes conos de los volcanes Tolimán, Atitlán y San Pedro.
[OPUESTA]

Tata Nim Samachi goza relajándose en la playa de Panajachel.
[IZQUIERDA]

Calle de Tzanjuyú
[SUPERIOR DERECHA]

Hotel del Lago.
Alojamiento de Cinco Estrellas y una fabulosa cocina, en uno de los hoteles de primera del lago.
[MEDIO E INFERIOR DERECHA]

More than 100 restaurants of all persuasions and varieties adorn the streets of "Pana".
[UPPER LEFT]

Panajachel is the hub for buyers looking for Guatemalan handicrafts. Hand-painted ceramic figurines depicting the infamous "chicken bus."
[MIDDLE LEFT]

The church of San Francisco, Panajachel's Patron Saint.
[LOWER LEFT]

Master roaster John Rath selects the finest arabica coffees from around the lake to blend his world famous *Cafe Toliman*: Judged by experts as "the best."
[RIGHT]

Más de cien restaurantes de todos los estilos y variedades adornan las calles de «Pana».
[SUPERIOR IZQUIERDA]

Panajachel es centro de artesanía Guatemalteco. Cerámicas pintado a mano de la famosa "bus de gallinas""
[MEDIO IZQUIERDA]

La iglesia de San Francisco, el Santo Patrón de Panajachel.
[INFERIOR IZQUIERDA]

El experto tostador John Rath selecciona los mejores cafés arábigos de alrededor del lago para mezclar su mundialmente famoso Café Tolimán: catalogado por los expertos como «el mejor».
[DERECHA]

Annual celebration of "Convite" in December when choreographed dances are performed by martians, crocodiles, monsters and historical characters.
[UPPER LEFT]

"La Galeria" art gallery.
[LOWER LEFT]

El Patio Center, offering a unique blend of shopping and dining. Calle Santander, Panajachel.
[LOWER MIDDLE]

Cak'chiquel-Maya woman harvests the world's best coffee.
[UPPER RIGHT]

During recent years fried chicken and potato stands have become ubiquitous.
[LOWER RIGHT]

Celebración anual del «Convite» en el mes de diciembre cuando danzas coreografiadas son ejecutadas por marcianos, cocodrilos, monstruos y personajes históricos.
[SUPERIOR IZQUIERDA]

Galería de arte «La Galería».
[INFERIOR IZQUIERDA]

Centro El Patio, ofreciendo su único mezlca de boutiques y cafés. Calle Santander, Panajachel.
[INFERIOR MEDIO]

Mujer Maya-Cak'chiquel recoge el mejor café del mundo.
[SUPERIOR DERECHA]

En años recientes, puestos de pollo frito y papas fritas se han vuelto habituales.
[INFERIOR DERECHA]

The annual festival in honor of Panajachel's Patron Saint Francis takes place in October and always includes costumed dances such as this "dance of the conquest."
[LEFT]

Pana's annual festival in October.
[UPPER RIGHT]

Masked dancer in the dance of the conquest.
[LOWER RIGHT]

El festival anual en honor al Santo Patrón de Panajachel, San Francisco, tiene lugar en octubre y siempre incluye danzas con trajes, como el "Baile de la Conquista".
[IZQUIERDA]

Festival anual de «Pana», en octubre.
[SUPERIOR DERECHA]

Bailarín enmascarado en el «Baile de la Conquista».
[INFERIOR DERECHA]

Tourists from around the world visit Earth's most beautiful lake and Panajachel, affectionately known as "Gringotenango."
[UPPER LEFT]

President Clinton and the first lady dance through the streets of Pana during the Convite celebration.
[LOWER LEFT]

Pana's annual festival in October.
[UPPER RIGHT]

Sololá, the Capital of the province bearing the same name, is perched 500 meters above Lake Atitlán. San Pedro volcano towers in the distance.
[LOWER RIGHT]

Turistas de todo el mundo visitan el lago más hermoso de la Tierra, y Panajachel es conocido cariñosamente como «Gringotenango».
[SUPERIOR IZQUIERDA]

El Presidente Clinton y la Primera Dama bailan por las calles de «Pana» durante la celebración del «Convite».
[INFERIOR IZQUIERDA]

Festival anual de «Pana», en octubre.
[SUPERIOR DERECHA]

Sololá, cabecera deparamental se encuentra a 500 metros sobre lago Atitlán. Volcán San Pedro a la distancia.
[INFERIOR IZQUIERDA]

The "chicken bus" zooms
by Panajachel Falls.
[UPPER LEFT]

Welcome to Solola is written
in the Cak'chiquel language.
[MIDDLE LEFT]

Water taxis and cruise boats provide
the main means of transport
to all of the lake's villages.
[LOWER LEFT]

Little Cak'chiquel boy waits
for his "Tata" to go fishing
at dawn in their "cayuco."
[RIIGHT]

The village of San Antonio Palopó.
[OPPOSITE]

«El bus de las gallinas» zumba
por las cascadas de Panajachel.
[SUPERIOR IZQUIERDA]

«Bienvenidos a Sololá»
escrito en lengua Cak'chiquel.
[MEDIO IZQUIERDA]

Taxis acuáticos y cruceros proveen
los principales medios de transporte
hacia los pueblos del lago.
[INFERIOR IZQUIERDA]

Pequeño niño Cak'chiquel espera
a su «Tata» para ir de pesca
al amanecer en su «cayuco».
[DERECHA]

El pueblo de San Antonio Palopó.
[OPUESTA]

ÜTZ IPETIK
WAWE' TZ'OLOJ YA'

Bienvenidos a Sololà

Kaqchikel Cholchi'
Comunidad lingüística Kaqchikel
Academia de las lenguas Mayas de Guatemala.

ALMG

San Jorge la Laguna

The annual festival of San Jorge in honor of their Patron Saint is marked by solemn processions accompanied by traditional music on the oboe-like chirimilla and rough-hewn drums.

The procession emerges from the church in the early morning and continues for several hours through all the major streets of the town. Leading the contingent are the elders of the Maya religious-political fraternity called the cofradia. Inscense bearers purify the atmosphere and make way for the elaborately adorned floats carrying images of Jesus, the Saints and the Virgin.

Later in the day the celebration turns to levity during which special foods and liquors are consumed.

El festival anual de San Jorge en honor de su Santo Patrono está marcado por solemnes procesiones acompañadas de música tradicional de la chirimilla, un instrumento parecido al oboe, y de tambores de ásperos tallados.

La procesión emerge de la iglesia temprano por la mañana y continua por varias horas, atravesando las principales calles del pueblo. Encabezando la delegación, van «los Mayores» de la fraternidad política religiosa llamada «Cofradía». Portadores de incienso purifican el ambiente y abren paso a las andas, elaboradamente adornadas, cargadas con imágenes de Jesús, los Santos y la Virgen. La seriedad de la celebración se aligera más tarde consumiendo comida y licores especiales.

San Lucas Tolimán

Located in the south-west corner of the lake, the quiet village of San Lucas produces the worlds finest arabica coffee.

The municipal buildings and sports complex.
[UPPER LEFT]

Muscle powered ferris wheel at the annual festival during the month of October.
[LOWER LEFT]

Saint Luke, the towns Patron, makes the rounds during the annual festival.
[RIGHT]

Localizado en la esquina sudoeste del lago, este tranquilo pueblo produce el más fino café arábigo del mundo.

El edificio de la Municipalidad y el complejo deportivo.
[SUPERIOR IZQUIERDA]

Noria de feria movida a mano, durante el festival anual en el mes de octubre.
[INFERIOR IZQUIERDA]

San Lucas, Patrono del pueblo, hace rondas durante la festividad anual.
[DERECHA]

Chuchitos, a kind of stuffed corn packet, are grilled at the Friday market.
[UPPER LEFT]

Fried plantain stand at the Friday market.
[LOWER LEFT]

Members of the National Police Force provide lively marimba music during the Christmas festivities.
[RIGHT]

Chuchitos, una especie de pastelitos de maíz relleno y asado en el Mercado del viernes.
[SUPERIOR IZQUIERDA]

Puesto de plátano frito en el Mercado del viernes.
[INFERIOR IZQUIERDA]

Miembros de la Policía Nacional proveen alegre música de marimba durante las celebraciones navideñas.
[DERECHA]

Tul is harvested for making reed mats called petates. San Antonio Palopó.
[OPPOSITE UPPER AND LOWER LEFT]

Santa Cruz la Laguna. Main Street.
[OPPOSITE RIGHT]

Panajachel Falls.
[UPPER LEFT]

The Pyramids Spiritual Retreat Center guartantees transcendental bliss for devotees of the New Age.
[LOWER LEFT]

El Chocomil Pacific Breeze creates ideal sailing conditions for the Regatta.
[RIGHT]

Tul es cosechado para hacer tapetes de juncos llamados petates. San Antonio Palopó.
[OPUESTA SUPERIOR E INFERIOR IZQUIERDA]

Santa Cruz La Laguna. Calle Principal.
[OPUESTA DERECHA]

Cascadas de Panajachel.
[SUPERIOR IZQUIERDA]

El centro de retiro espiritual Las Pirámides garantiza un éxtasis trascendental para los devotos de la Nueva Era.
[INFERIOR IZQUIERDA]

La brisa del Pacífico del Chocomil crea condiciones de navegación ideales para la regata.
[DERECHA]

Semana Santa

The biggest celebration of the year is Holy Week. Magnificent carpets are created of colored sawdust over which the processions pass. All the inhabitants are dressed in their finest costumes and elaborate feasts are prepared featuring fine delicacies and plenty of cane liquor.

Easter Procession. Santiago Atitlán.
[OPPOSITE]

Maximón, the indigenous saint, is brought out to meet the slain Christ.
[ABOVE]

The glass coffin containing the body of Jesus is paraded throughout the streets of Santiago.
[BELOW]

La celebración más grande del año es la Semana Santa.
Magníficas alfombras son creadas de serrín teñido, sobre las cuales camina la procesión.
Todos los habitantes se visten con sus más finos trajes y elaborados banquetes son preparados con características de finos manjares y mucho licor de caña.

Procesión de Pascua.
Santiago Atitlán.
[OPUESTA]

Maximón, el santo indígena, es sacado al encuentro a Cristo asesinado.
[SUPERIOR]

El féretro de vidrio conteniendo el cuerpo de Jesús es paseado por todas las calles de Santiago.
[INFERIOR]

Giant candles are kept alight
all night during the vigil
while Jesus struggles with life and
death in the tomb.
[LEFT]

Young boys dress in elaborate
ceremonial costumes.
Santiago Atitlán.
[UPPER RIGHT]

Members of the Cofradía, the
indigenous religious fraternity,
preside over the festival.
[LOWER RIGHT]

Candelas gigantes permanecen
encendidas toda la noche durante
la vigilia, en lo que Jesús lucha con
la vida y la muerte en la tumba.
[IZQUIERDA]

Muchachos se visten en elaborados
trajes ceremoniales.
Santiago Atitlán.
[SUPERIOR DERECHA]

Miembros de la Cofradía,
la fraternidad religiosa indígena,
presiden el festival.
[INFERIOR DERECHA]

Jesus is crucified
at Santiago Atitlán.
[LEFT]

Maximón, The patron saint
of sorcerers, is also crucified.
[UPPER RIGHT]

Women in ceremonial costume.
Santiago Atitlán.
[LOWER LEFT]

Jesús es crucificado
en Santiago Atitlán.
[IZQUIERDA]

Maximón, el santo patrón de los
brujos, también es crucificado.
[SUPERIOR DERECHA]

Mujeres en traje ceremonial.
Santiago Atitlán.
[INFERIOR IZQUIERDA]

Young boys in ceremonial costume.
San Lucas Tolimán.
[UPPER LEFT]

Boys in ceremonial costume.
Santiago Atitlán.
[LOWER LEFT]

The Easter Procession winds
its way through the streets
of San Lucas Tolimán.
[RIGHT]

Carrying the processional floats
is hard work and a bit
of refreshment is called for.
San Lucas Tolimán.
[OPPOSITE]

Muchachos en traje ceremonial.
San Lucas Tolimán.
[SUPERIOR IZQUIERDA]

Niños en traje ceremonial.
Santiago Atitlán.
[INFERIOR IZQUIERDA]

La Procesión de Pascua serpentea
su camino a través de las calles
de San Lucas Tolimán.
[DERECHA]

Llevar el anda procesional es un
trabajo arduo y refrescarse un poco
se agradece. San Lucas Tolimán.
[OPUESTA]

Terraced onion farming.
San Antonio Palopó.
[LEFT]

Girls from Santa Catarina Palopó.
[UPPER RIGHT]

Everyday firewood must
be collected to fuel the
family hearth.
[LOWER RIGHT]

Fishermen working the dawn.
Santiago Atitlán.
[OPPOSITE UPPER LEFT]

Women of Santiago Atitlán.
[LOWER LEFT]

The ever-changing kaleidoscope
of colors and hues at Lake Atitlán.
[OPPOSITE RIGHT]

Terrazas con siembras de cebolla.
San Antonio Palopó.
[IZQUIERDA]

Niñas de Santa Catarina Palopó.
[SUPERIOR DERECHA]

La leña de cada día debe ser
recogida para alimentar
el hogar familiar.
[INFERIOR DERECHA]

Pescadores trabajando
al amanecer. Santiago Atitlán.
[OPUESTA SUPERIOR IZQUIERDA]

Mujeres de Santiago Atitlán.
[INFERIOR IZQUIERDA]

El caleidoscopio de tintes
y colores siempre cambiantes
del Lago Atitlán.
[OPUESTA DERECHA]

Girl from Santiago Atitlán.
[UPPER LEFT]

An outdoor Mass,
commemorating ten years
of peace, is conducted
at Santiago Atitlán.
[UPPER RIGHT]

View across the lake from
Panajachel.
[LOWER LEFT]

Local artisan proudly
displaying his yarn paintings.
Santiago Atitlán.
[LOWER RIGHT]

Magnificent view of the Lake
looking towards the south-west.
The villages of San Pedro and
San Juan are nestled at the base
of enormous San Pedro Volcano.
[OPPOSITE]

Niña de Santiago Atitlán.
[SUPERIOR IZQUIERDA]

Una misa al aire libre,
conmemorando diez años de paz,
se realiza en SantiagoAtitlán.
[SUPERIOR DERECHA]

Vista al otro lado del lago,
desde Panajachel.
[INFERIOR IZQUIERDA]

Artesano local orgullosamente
muestra sus pinturas de hilos.
Santiago Atitlán.
[INFERIOR DERECHA]

Magnífica vista del lago hacia
el sudoeste. Los pueblos
de San Pedro y San Juan
anidan en la base del enorme
volcán San Pedro.
[OPUESTA]

The sport of hang-gliding attracts adepts from around the world to Atitlán where supurb air-flow creates ideal flying conditions. [OPPOSITE]

Little cayucero plys the waters of Santiago Bay. [LOWER LEFT]

The charming "chicken bus" is the main means of transport throughout the Guatemalan Highlands. Called the chicken bus because there is a very real chance that you may share the ride with a feathered companion. [UPPER LEFT]

Cak'chiquel Indian bathes in the crystal waters of Atitlán. [RIGHT]

El deporte de aladeltismo atrae adeptos de todo el mundo a Atitlán, donde las corrientes de aire crean condiciones óptimas de vuelo. [OPUESTA]

Un pequeño cayuquero navegando las aguas de la Bahía de Santiago. [INFERIOR IZQUIERDA]

El simpático «bus de las gallinas» es el principal medio de transporte por todo el altiplano guatemalteco. Llamado el bus de las gallinas por que se tiene la posibilidad de tener que compartir el viaje con un compañero emplumado. [SUPERIOR IZQUIERDA]

Indio Cak'chiquel se baña en las cristalinas aguas de Atitlán. [DERECHA]

San Pedro Volcano Towers
above Santiago Bay.
[UPPER LEFT]

Leaving Santiago Atitlán aboard
one of the lake's cruise boats.
[LOWER LEFT]

This antique post card depicts
a Tzutujil girl grinding corn
on a stone "káa".
[RIGHT]

The village laundry. Santiago Atitlán.
[OPPOSITE]

El volcán San Pedro se yergue
sobre la bahía de Santiago.
[SUPERIOR IZQUIERDA]

Yéndose de Santiago Atitlán abordo
de uno de los cruceros del lago.
[INFERIOR IZQUIERDA]

Esta antigua postal representa
a una niña Tzutujil moliendo
maíz en una «káa».
[DERECHA]

La colada del pueblo.
Santiago Atitlán.
[OPUESTO]

One of many private homes, called chalets which adorn the lake shore. Near San Antonio Palopó.
[LEFT]

Fishermen working Santiago Bay.
[UPPER RIGHT]

Musicians, members of an Evangelical church group from Solola, blow their sacred tunes while baptisms are performed at the lake shore.
[LOWER RIGHT]

Una de las muchas casas privadas, llamadas chalets, que adornan la orilla del lago. Cerca de San Antonio Palopó.
[IZQUIERDA]

Pescadores trabajando la Bahía de Santiago.
[SUPERIOR DERECHA]

Músicos, miembros de una iglesia evangélica de Sololá, soplan sus tonadas sagradas mientras se realizan bautizos a la orilla del lago.
[INFERIOR DERECHA]

Lake Atitlan has become a mecca for hang-gliders because of excellent wind conditions and incomperable ambiance.
[UPPER LEFT]

Matilde from Santa Catarina gives living testimony that Cak'chiquel-Maya women are among the most beautiful in the Universe.
[UPPER RIGHT]

This picturesque rocky shoreline is located mid-way between Panajachel and Santa Cruz la Laguna.
[BELOW]

El lago de Atitlán se ha convertido en una Meca del aladeltismo debido a sus excelentes vientos e incomparable ambiente.
[SUPERIOR IZQUIERDA]

Matilde, de Santa Catarina, da vivo testimonio de que las mujeres mayas Cak'chiquel están dentro de las más hermosas del universo.
[SUPERIOR DERECHA]

Esta pintoresca línea costera rocosa se localiza entre Panajachel y Santa Cruz la Laguna.
[INFERIOR]

Giant tree ferns in the San Pedro
Volcano cloud forest.
[UPPER LEFT]

Visiting aquatic birds hunt
mojarra fish.
[LOWER LEFT]

Little Corina
from Santa Catarina Palopó.
[RIGHT]

View across the lake from
the beach at Jucanya.
[OPPOSITE]

Helechos gigantes como árboles
en el bosque nuboso del volcán
de San Pedro.
[SUPERIOR IZQUIERDA]

Pájaros acuáticos que están
cazando peces llamados mojarras.
[INFERIOR IZQUIERDA]

La pequeña Corina
de Santa Catarina Palopó.
[SUPERIOR DERECHA]

Vista a través del lago,
desde la playa de Jucanya.
[OPUESTA]

Gentleman from San Antonio
Palopó in traditional costume.
[UPPER LEFT]

Antique postcard shows women
of Santiago Atitlán in "old style"
costumes carrying ceramic water
jugs called tinajas.
[RIGHT]

San Lucas and Santiago Volcanoes
loom over Atitlán.
[LOWER LEFT]

Caballero de San Antonio Palopó
en su traje tradicional.
[SUPERIOR IZQUIERDA]

Postal antigua muestra a mujeres de
Santiago Atitlán vestidas al estilo
antiguo, llevando cántaros de barro
para el agua, llamados tinajas.
[DERECHA]

Los volcanes de San Lucas y
Santiago se tejen sobre Atitlán.
[INFERIOR IZQUIERDA]

A recent photograph of women at Santiago Atitlán dressed in modern costume and carrying unbreakable plastic water jugs.
[LEFT]

Clara and Carlota Coquix prepare tortillas for the evening meal. Patchitulul.
[UPPER RIGHT]

Women of Chichicastenango barter for a chicken dinner.
[LOWER RIGHT]

Una fotografía reciente de mujeres de Santiago Atitlán, vestidas en ropa moderna llevando agua en cántaros irrompibles de plástico.
[IZQUIERDA]

Clara y Carlota Coquix preparan tortillas para la cena. Patchitulul.
[SUPERIOR DERECHA]

Mujeres de Chichicastenango haciendo trueque por una cena a base de pollo.
[INFERIOR DERECHA]

Santa Catarina Bay.
[OPPOSITE]

Gentleman from San Lucas Tolimán dressed in traditional formal attire.
[LEFT]

Cactus flower.
[UPPER RIGHT]

Wildflower.
[MIDDLE RIGHT]

Butterfly.
[LOWER RIGHT]

Bahía de Santa Catarina.
[OPUESTA]

Caballero de San Lucas Tolimán vestido en su atuendo formal tradicional.
[IZQUIERDA]

Flor de cactus.
[SUPERIOR DERECHA]

Flor silvestre.
[MEDIO DERECHA]

Mariposa.
[INFERIOR DERECHA]

The valley of Panajachel.
[ABOVE]

Butterfly.
[LOWER LEFT]

Woman from San Lucas Tolimán
demonstrates the ancient back-strap
loom weaving technique.
[LOWER RIGHT]

Sunset vista
of the volcanes
[OPPOSITE]

El valle de Panajachel.
[SUPERIOR]

Mariposa.
[INFERIOR IZQUIERDA]

Mujer de San Lucas Tolimán,
muestra la técnica ancestral de
tejido con telar de cintura.
[INFERIOR DERECHA]

Vista de los volcanes al atardecer.
[OPUESTA]

Eighty six year old Santiago Coquix, the patriarch of the Coquix clan, shucks the new harvest of corn.
[UPPER LEFT]

Lake cruisers provide transport for cargo and passengers.
[UPPER RIGHT]

An ox cart makes its way along the Pan American Highway in Sololá.
[LOWER LEFT]

Heirloom corn species are still cultivated throughout theHighlands. Corn manifests the four cardinal colors of the Maya: white, black, red, and yellow which correspond to the four sacred directions of the universe.
[LOWER RIGHT]

Santiago Coquix, de ochenta y seis años, patriarca del Clan Coquix, desgrana la nueva cosecha de maíz. Patchitulul.
[SUPERIOR IZQUIERDA]

Los cruceros del lago proveen transporte de carga y pasajeros.
[SUPERIOR DERECHA]

Una carreta de bueyes hace su camino a lo largo de la Carretera Panamericana en Sololá.
[INFERIOR IZQUIERDA]

Variedades de maíz pasadas de generación en generación aún se cultivan a lo largo de todo el altiplano. El maíz muestra los cuatro colores cardinales de los Mayas: blanco, negro, rojo y amarillo que corresponden a las cuatro sagradas direcciones del universo.
[INFERIOR DERECHA]

Red-tail Hawk.
[UPPER LEFT]

Butterfly.
[MIDDLE LEFT]

The rare and elusive Horned Guan, a turkey-sized bird which is found exclusively in wind-swept cloud forests of Guatemala and adjacent Chiapas, Mexico.
[LOWER LEFT]

Mysterious mist-enshrouded cloud forests blanket the Pacific slopes of the Volcanos.
[RIGHT]

Halcón de cola roja.
[SUPERIOR IZQUIERDA]

Mariposa.
[MEDIO IZQUIERDA]

El raro y evasivo guan astado, un pájaro del tamaño de un pavo, que se encuentra exclusivamente en los bosques nubosos de Guatemala y de la adyacente Chiapas, México.
[INFERIOR IZQUIERDA]

Misteriosos bosques nubosos cubren las pacíficas laderas de los volcanes.
[DERECHA]

View across the lake from
Panajachel Beach. Tolimán
and Átitlán Volcanoes.
[OPPOSITE]

Two Tzutujil Indian boys race
in their cayucos.
Santiago Átitlán.
[LEFT]

Vista a través del lago desde
la playa de Panajachel.
Los volcanes Tolimán y Atitlán.
[OPUESTA]

Dos niños Tzutujiles conducen
sus cayucos. Bahía de Santiago.
[SUPERIOR IZQUIERDA]

Mercedes and friend
from Barrio Jucanya.
[UPPER LEFT]

Wildflower.
[LOWER LEFT]

Traditional womans costume.
San Jorge la Laguna.
[RIGHT]

Aerial view of the Central
Highlands of Guatemala showing
the chain of volcanoes.
Lake Atitlán can be seen through
the mist at upper left.
[OPPOSITE]

Mercedes y una amiga
del barrio Jucanya.
[SUPERIOR IZQUIERDA]

Flor silvestre.
[INFERIOR IZQUIERDA]

Trajes tradicionales de las mujeres.
San Jorge la Laguna.
[DERECHA]

Vista aérea del Altiplano Central
de Guatemala mostrando la cadena
de volcanes. El lago Atitlán
se puede ver a través de la niebla
en la parte superior izquierda.
[OPUESTA]

Maximón

The enigmatic Maximón, the patron saint of Mayan sorcerers, is alive and well at Lake Atitlán. Each village has its own Maximón shrine where devotees bring offerings of liquor, cigars and food so that "Hermano Maximón Achi" will bless them with abundant crops and good fortune.

Maximón of Santiago Atitlán
[OPPOSITE RIGHT AND LEFT]

El enigmático Maximón, santo patrón de los brujos mayas, está vivo y contento en el lago Atitlán. Cada pueblo tiene su propio altar a Maximón donde los devotos dejan ofrendas de licor, puros y comida para que "Hermano Maximón Achi" les bendiga con abundantes cosechas y buena suerte.

Maximón de Santiago Atitlán
[OPUESTA DERECHA Y IZQUIERDA]

Tzutujil devotees of Maximón appeal to him for favors and protection. Santiago Atitlán
[UPPER LEFT]

Maximón of San Antonio Palopó, San Lucas Tolimán and Panajachel.
[UPPER RIGHT, LOWER LEFT, LOWER RIGHT]

The highlands surrounding Lake Atitlán are interspersed with small villages called "aldeas." Men work in the fields producing the "three sisters": corn, beans and squash. Women stay closer to home and nurture the young, produce their vibrant textiles and prepare the days meals.
[OPPOSITE]

Tzutujil devotos de Maximón súplican favores y proteción. Santiago Atitlán
[SUPERIOR IZQUIERDA]

Maximón de San Antonio Palopó, San Lucas Tolimán e Panajachel.
[SUPERIOR DERECHA, INFERIOR DERECHA, INFERIOR IZQUIERDA]

El altiplano que rodea el lago de Atitlán está salpicado de pequeños pueblos llamados «aldeas». Los hombres trabajan los campos produciendo las «tres hermanas»: maíz, frijol y chilacayote. Las mujeres permanecen cerca del hogar y créan a los jóvenes, producen sus vibrantes textiles y la comida diaria.
[OPUESTA]

Chichicastenango

Chichi has been a bustling trade center for thousands of years. visitors from around the world come here to experience the ancient Maya Culture firsthand.

Santo Tomás Church was originally built in 1540 on the site of a Maya altar.
[LEFT]

Chichicastenango's textiles are among the finest in the entire Maya world.
[UPPER RIGHT]

The Flower Market.
[LOWER RIGHT]

Chichi ha sido un ajetreado centro de comercio por miles de años. Visitantes de todo el mundo vienen aquí a experimentar de primera mano la antigua cultura Maya. Iglesia de Santo Tomás fue construida originalmente en 1540 en el sitio de un altar Maya.
[IZQUIERDA]

Los textiles de Chichicastenango se encuentran entre los más finos del mundo Maya.
[SUPERIOR DERECHA]

El mercado de las flores.
[INFERIOR DERECHA]

Those bound for Chichi change
buses at the Los Encuentros
crossroads.
[UPPER LEFT]

The crowded Sunday market.
[UPPER RIGHT]

Tourists have become important
to the economy at Chichi
and are welcome.
[LOWER LEFT]

The Flower Market.
[LOWER RIGHT]

Aquellos que visitan Chichi,
cambian buses en el cruce
de Los Encuentros.
[SUPERIOR IZQUIERDA]

El atestado mercado del domingo.
[SUPERIOR DERECHA]

Los turistas se han convertido
en una parte importante
de la economía de Chichi,
y son bienvenidos.
[INFERIOR IZQUIERDA]

El Mercado de las flores.
[INFERIOR DERECHA]

The Sunday Market,
Chichicastenango.
[RIGHT AND UPPER LEFT]

The comedor,
a homestyle eating place.
[LOWER LEFT]

El Mercado del domingo,
Chichicastenango.
[DERECHA Y SUPERIOR IZQUIERDA]

El comedor, un lugar
de alimentación al estilo casero.
[INFERIOR IZQUIERDA]

The Sunday Market.
Chichicastenango.
[LEFT AND UPPER RIGHT]

The steps of Santo Tomas Church
are the site of ancient
pre-Columbian rituals and the
burning of insence.
[LOWER RIGHT]

El Mercado del domingo,
Chichicastenango.
[IZQUIERDA Y SUPERIOR DERECHA]

Las gradas de la iglesia de Santo
Tomás son el sitio de rituales
precolombinos y quema de incienso.
[INFERIOR DERECHA]

Hotel Santo Tomás provides first class food and accomadations.
[UPPER AND MIDDLE LEFT]

The Textile Market.
[UPPER RIGHT

Antiques, Santos and curios are in abundance at the Chichi market.
[LOWER LEFT]

Colonial style brass door-knocker.
[LOWER MIDDLE]

The marimba, traditional instrument of the Maya.
[LOWER RIGHT]

The highlands of Sololá Province.
[OPPOSITE]

El Hotel Santo Tomás provee comida y alojamiento de primera clase.
[SUPERIOR Y MEDIO IZQUIERDA]

El mercado de textiles.
[SUPERIOR DERECHA]

En el mercado de Chichi hay en abundancia antigüedades, santos y curiosidades.
[INFERIOR IZQUIERDA]

Un llamador de puerta en bronce al estilo colonial.
[INFERIOR MEDIA]

La marimba, instrumento tradicional de los Mayas.
[INFERIOR DERECHA]

El altiplano del departamento de Sololá.
[OPUESTA]

Easter week brings celebrations and
processions to Chichicastenango.
A large crowd gathers on the steps
of Santo Tomás Church.
[OPPOSITE]

The figure of Jesus is paraded
throughout the streets attended
by officials of the cofradia,
the Maya religious fraternity.
[UPPER LEFT, UPPER RIGHT, BOTTOM]

La semana de Pascua trae
celebraciones y procesiones
a Chichicastenango. Una gran
multitud se congrega en las gradas
de la iglesia de Santo Tomás.
[OPUESTA]

La figura de Jesús es llevada por las
calles en procesión presidida por los
oficiales de la Cofradía,
la fraternidad religiosa Maya.
[SUPERIOR IZQUIERDA,
SUPERIOR DERECHA E INFERIOR]

El Palo Volador, the flying pole.
An ancient Mayan ritual
performed several times a year
at major celebrations.
[LEFT, UPPER RIGHT, LOWER RIGHT]

El Palo Volador.
Un antiguo ritual Maya
se realiza varias veces al año
durante celebraciones
principales.
[IZQUIERDA, SUPERIOR DERECHA
Y INFERIOR DERECHA]

Holy Week procession. Judas hangs from the Church entrance.
[MIDDLE RIGHT]

Annual festival in honor of Patron Saint Tomás occurs from the 13th to the 21st of December.
[LEFT, UPPER RIGHT, LOWER RIGHT]

Procesión de Semana Santa. Judas cuelga de la entrada de la iglesia.
[MEDIO DERECHA]

El festival anual en honor al patrono Santo Tomás se celebra del 13 al 21 de diciembre.
[IZQUIERDA, SUPERIOR DERECHA E INFERIOR DERECHA]

Pascual Abaj

Pascual Abaj is an ancient
pre-Columbian place of power.
Visited by devotees from all over
the Highlands,
Maya priests preside over
ceremonies which include ritual
animal sacrifice.
The blood of a chicken has been
spilled on the sacred stone.
[RIGHT]

Pascual Abaj es un lugar de
poder precolombino.
Visitado por devotos
provenientes de todo
el altiplano, sacerdotes Mayas
presiden las ceremonias que
incluyen sacrificios de animales.
La sangre del pollo ha sido
derramada en la piedra sagrada.
[DERECHA]

Shaman and Maya Priests come to Pascual Abaj to perform rites aimed at healing the sick, protecting the afflicted, and in order to insure good fortune.
[LEFT AND UPPER RIGHT]

The rattlesnake is sacred to the Maya and holds a special place in the supernatural pantheon.
[LOWER RIGHT]

Chamanes y sacerdotes Mayas vienen a Pascual Abaj a realizar rituales para ayudar a curar a los enfermos, proteger a los afligidos y para asegurar la buena suerte.
[IZQUIERDA Y SUPERIOR DERECHA]

La serpiente de cascabel es sagrada para los Mayas y tiene un lugar especial en el panteón de lo sobrenatural.
[INFERIOR DERECHA]